R e
S e e
P i c

Re·See·Pic Vol.7 서울

1판 1쇄 인쇄 2019년 10월 8일 | **1판 1쇄 발행** 2019년 10월 15일

글·사진 권진희 신명동 허진 송원석 장인주 김재일 Saul 박상환
기획 허진 | **디자인** 문지연 | **표지 사진** 박상환

펴낸이 허진 | **펴낸곳** 레시픽 | **등록** 2017년 4월 20일(제2017-000044호)
주소 서울시 중구 삼일대로4길 19, 2층 | **전화** 070-4233-2012
이메일 reseepics@gmail.com | **인스타그램** instagram.com/reseepic

ISBN 979-11-960943-9-3 04660

RE·SEE·PIC

Vol.7

서울

CONTENTS

1_ 권진희_ 서울, 깍쟁이 Blues

2_ 신명동_ #riverwalk part2 #seoul #한강 #infrared

3_ 허진_ The Seoul Special City

4_ 송원석_ 신 아래 동쪽과 서쪽

5_ 장인주_ 청계 속 서울

6_ Saul_ 서울 성곽

7_ 김재일_ Seoul Street Fashion

8_ 박상환_ 사람/건물/사물/공간/경계/안과 밖
수많은 이야기로 가득한 아주 특별한 도시

01

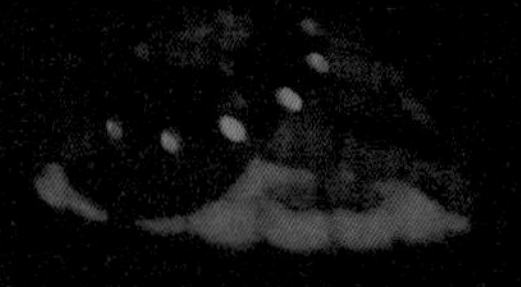

서울,

깍쟁이 Blues

권 진 희

높다랗고 커다란, 서울

누구에게나 열려 있으면서도,

그 선 넘으면, 정색이야 beep 할 것 같은
도도하고 새침한 깍쟁이

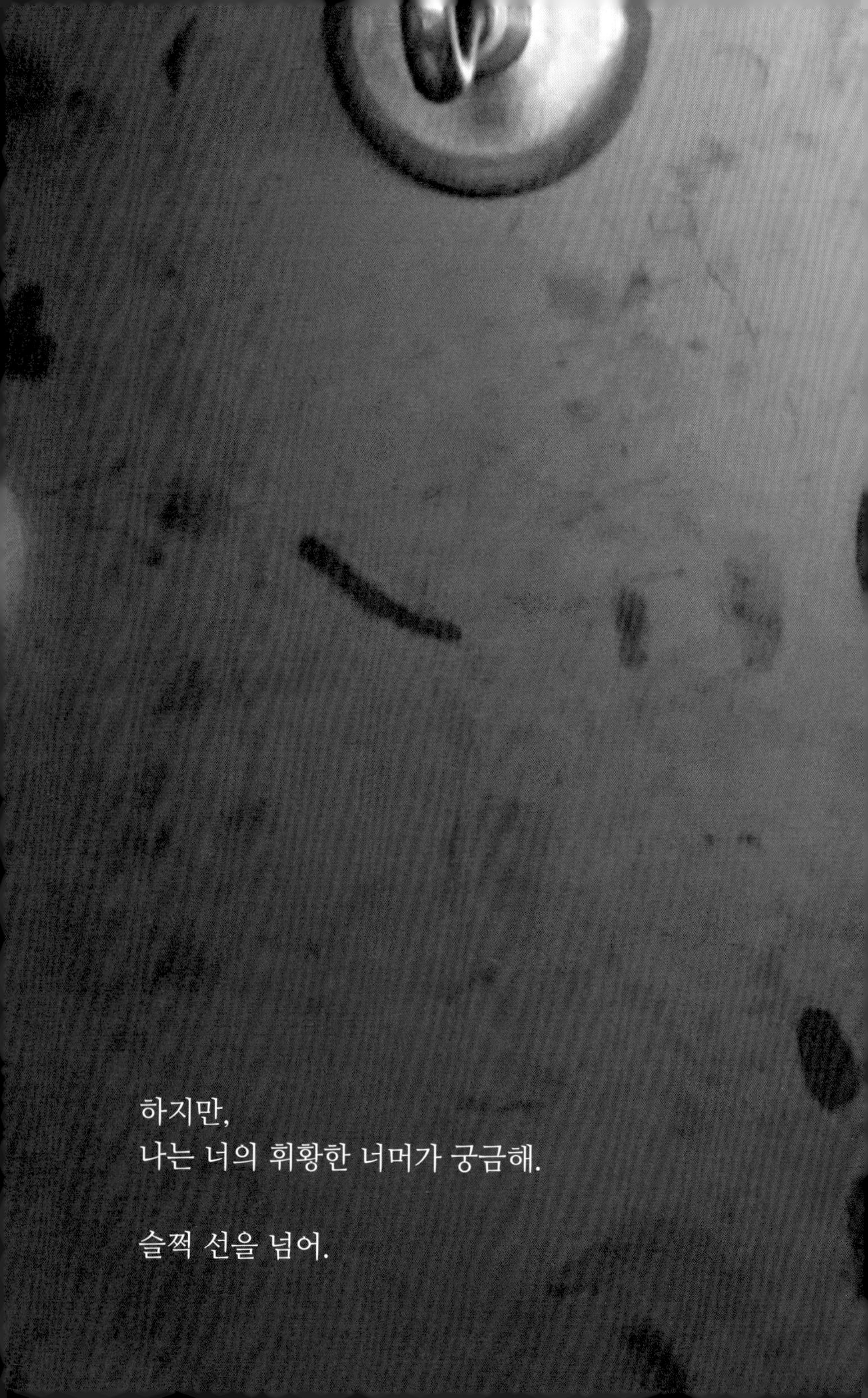

하지만,
나는 너의 휘황한 너머가 궁금해.

슬쩍 선을 넘어.

WOOJIN
138
캡스
G137
WORLD No.1
캡스
132
SM01
G13

일부러 골목길로 접어들자

너는…….

작고 좁고

무너지고 쇠락한

속살을 내보여.

첫실닭
첫실닭

결국, 네가 깍쟁이라는 건 나의 오해였을 뿐.

안녕, 그리고 안녕. 서울

Coffee & Sweet Tea

StoryWay
Coca-Cola

#riverwalk part2

#seoul

#한강

#infrared

신 명 동

V

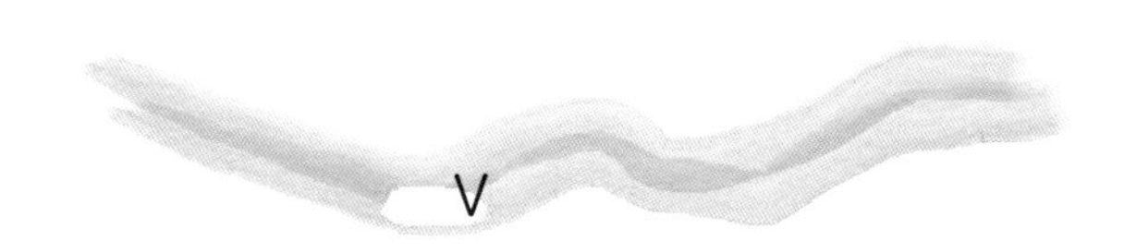
V

V

V

V

V

V

V

V

V

V

V

V

V

V

V

03

The Seoul Special City

허 진

어디부터 서울이고

어디까지 서울일까?

이곳은 언제부터 서울로 불렸을까?

끝은 시작으로 연결되고

답은 질문으로 이어진다.

2018 ~ 2019

서울의 둘레를 걸으며

04

신 아래 동쪽과 서쪽

송 원 석

PLEASE TURN OFF YOUR MOBILE

CCTV
SECOM

Prince Sultan Islamic School - Seoul
مدرسة الأمير سلطان الإسلامية- سيول
모든 예언자들은
형제들이며

الله أكبر

لا اله الا الله محمد رسول الله

HELIOS
드림
고시텔
문의:T.797-9550
4-5층

네가 그 어디를 돌아보더라도 너는 신의 얼굴과 마주하게 될 것이다.
신은 모든 것을 알고 계시며 모든 것을 포용하신다.

وَلِلَّهِ ٱلْمَشْرِقُ وَٱلْمَغْرِبُ ۚ فَأَيْنَمَا تُوَلُّوا۟ فَثَمَّ وَجْهُ ٱللَّهِ ۚ إِنَّ ٱللَّهَ وَٰسِعٌ عَلِيمٌ

Al-Baqarah 2:115

05

청계 속 서울

장 인 주

나무 위 자라난

콘크리트 빌딩

공존

콘크리트와 나무

흔적과

흔적이 될지도 모를

부서짐이 향하는 곳

일 년의 기록

변하는 것,
혹은 사라지는 것.

기억되거나,
잊혀지거나,

시간의 흐름에 따라
변하는 것은
자연스러운 일이라지만

변하게 하는 건
비단 시간만은 아니었다

사람
그리고 사계

30

06

서울 성곽

어릴 적 엄마 손잡고 다니던 그곳.

거기 저편엔, 아련한 성곽이 있었다.

한참 후에 찾아간 동네에는

다른 듯 같은 시간을 품은 성곽이 나를 바라보고 있구나.

성곽만으로도 많은 의미가 있겠지만 어릴 적과 지금 나를 같이 품어 주네.

나는 품은 시간을 느끼며, 소소하게 담아본다.

카메라를 들고

성곽을 바라보고

동네를 바라보고

추억을 바라보네.

그리고 다시 잊히고 또 잊혀도

성곽은 그렇게 거기 있겠지.

가볍게 담은 이 사진 한 장이 언젠가 추억의 영정이 되지 않기를 바라며.

07
Seoul Street Fashion
김 재 일

작가의 글

구제 패션의 메카 동묘

아이들이 몰려드는 동대문 문구 완구 거리

외국인들이 많이 찾아오는 명동거리

서울의 주요 교통수단인 지하철

남녀노소 가리지 않고 모여드는 전통시장, 망원시장

서로 다른 사람들이 모여드는 다섯 장소에서

패션을 통해 서울의 다양성을 보여 주고 싶었습니다.

모델 : 김지현, 이해솔
메이크업, 헤어 스타일리스트 : 이한비
사진 : 김재일 (Suman Kim)

동묘 구제 시장

2019. 4. 27

영일이발
컷트
5,000원
베테랑 면도사 있음
2F
뉴
(명품)
구제

동묘 구제 시장

동묘 구제 시장

동대문 문구 완구 거리

명동 거리

AHC PLAYZONE
PC방
DSQUARED2

명동 거리

2019. 6. 8

명동 거리

명동 거리

지하철 4호선

2019. 7. 11

지하철 4호선

2019. 7. 11

망원 시장

2019. 7. 18

망원 시장

2019. 7. 18

08

사람 / 건물 / 사물

공간 / 경계 / 안과 밖

수많은 이야기로

가득한

아주 특별한 도시

박 상 환

SEOUL METROPOLITAN
GOVERNMENT

모델라인
J.J. Antony
Antony
COFFEE
금지

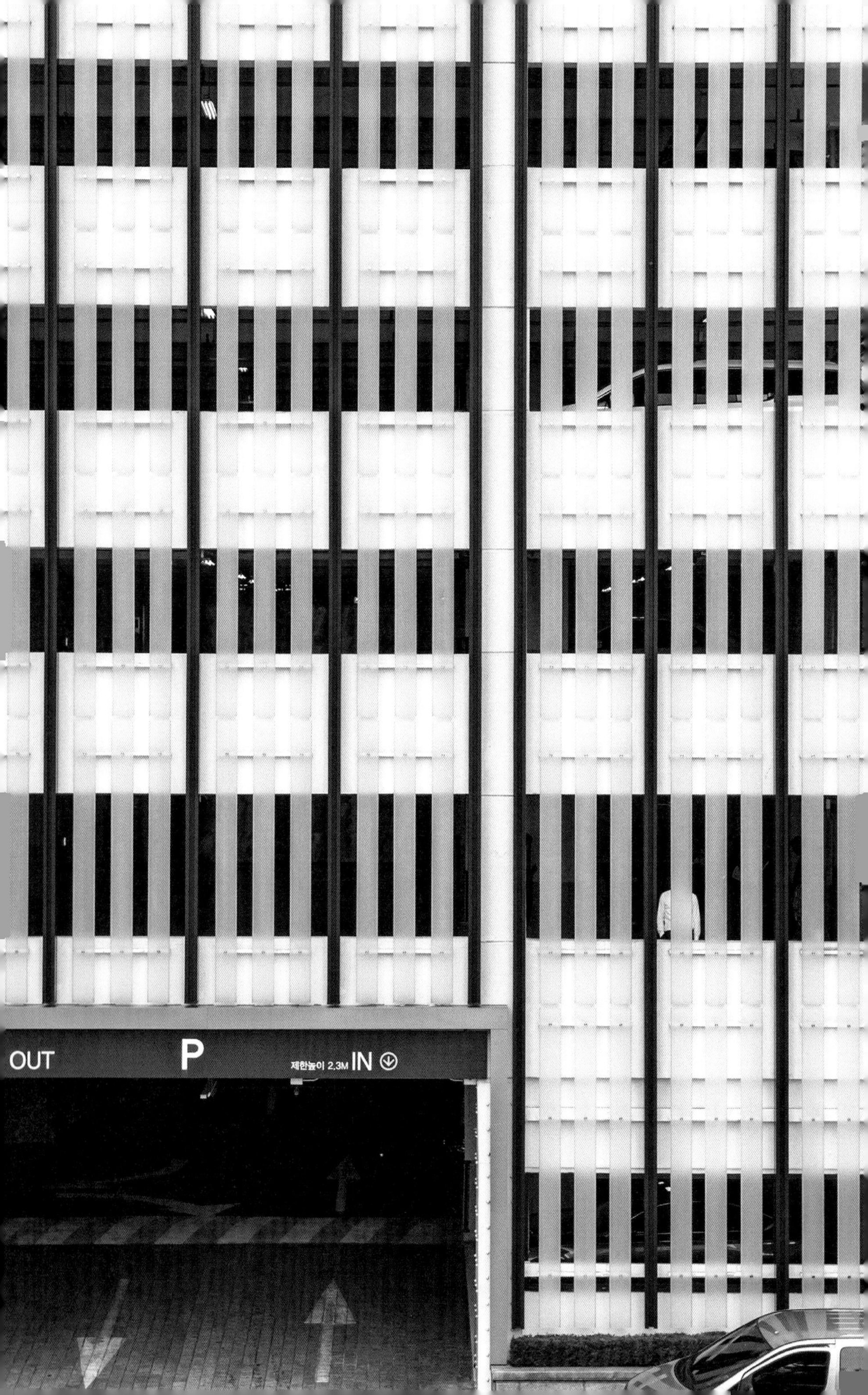
OUT
P
제한높이 2,3M
IN

kobaco
SEOUL FINANCE CENTER

LG

가
ADT
생맥주
주류
음료수

대우산업개발

Re.See.Pic_ Vol.7_ photographer

권 진 희

rewarding0801@hanmail.net

instagram.com/doob_jin

신 명 동

t2p4@naver.com

instagram.com/t2p4

장 인 주

njoiurlife@naver.com

instagram.com/mumallang_e

S a u l

saulphoto1976@gmail.com

instagram.com/sa_ul_photo

허진

lumimaster@gmail.com

facebook.com/lumidraw

instagram.com/okiobba

송원석

dennisbrain@gmail.com

instagram.com/Kammer_Dunkel

김재일

jinr92@naver.com

instagram.com/youngphotomaker

instagram.com/photo_jaeil

instagram.com/youth_photostudio

박상환

sangfun@gmail.com

instagram.com/sangfun

R e
S e e
P i c

여행을 다녀오듯 서울을 둘러보며,
스쳐 지나갔던 도시의 이야기에 귀 기울여 봅니다.
다시 보고 싶은 사진책, Re·See·Pic